Erste-Hilfe-Meldeblock

Notfallversorgungsnachweis gem. DGUV Vorschrift 1

Firma/Einrichtung und Stempel

Die Eintragungen sollen durch den Ersthelfer sorgfältig und vollständig erfolgen. Leisten Sie als Ersthelfer nur diejenige Erste Hilfe, die Sie beherrschen, und schalten Sie dann erforderlichenfalls weitere fachkundige Stellen ein (z. B. Sanitätsstelle, Betriebsarzt, externe Ärzte oder Krankenhäuser).

Hinweis: Bewahren Sie den Notfallversorgungsnachweis mindestens fünf Jahre auf. Verwahren Sie diesen am besten bei Ihren Personalunterlagen, denn dieser Nachweis beinhaltet personenbezogene Aufzeichnungen.

Angaben zum Hergang des Unfalls bzw. des Gesundheitsschadens

Laufende Nummer:

Datum/Uhrzeit:

Name des Verletzten/Verunfallten/Erkrankten:

Hergang des Unfalls/der Verletzung/Vermutete Ursache der Erkrankung:

Unfallfolgen/Art der Verletzung/Erkrankung/Symptome/Befund:

AF731544

Name des/der Zeugen:

Erste-Hilfe-Leistung

Datum/Uhrzeit:

Name des Ersthelfers/Erste-Hilfe-Leistenden:

Art und Weise der Maßnahmen:

Erste-Hilfe-Material (verwendet/entnommen):

© FORUM VERLAG HERKERT GMBH
12/25

Erste-Hilfe-Meldeblock

Notfallversorgungsnachweis gem. DGUV Vorschrift 1

Firma/Einrichtung und Stempel

Die Eintragungen sollen durch den Ersthelfer sorgfältig und vollständig erfolgen. Leisten Sie als Ersthelfer nur diejenige Erste Hilfe, die Sie beherrschen, und schalten Sie dann erforderlichenfalls weitere fachkundige Stellen ein (z. B. Sanitätsstelle, Betriebsarzt, externe Ärzte oder Krankenhäuser).

Hinweis: Bewahren Sie den Notfallversorgungsnachweis mindestens fünf Jahre auf. Verwahren Sie diesen am besten bei Ihren Personalunterlagen, denn dieser Nachweis beinhaltet personenbezogene Aufzeichnungen.

Angaben zum Hergang des Unfalls bzw. des Gesundheitsschadens

Laufende Nummer:	Datum/Uhrzeit:

Name des Verletzten/Verunfallten/Erkrankten:

Hergang des Unfalls/der Verletzung/Vermutete Ursache der Erkrankung:

Unfallfolgen/Art der Verletzung/Erkrankung/Symptome/Befund:

Name des/der Zeugen:

Erste-Hilfe-Leistung

Datum/Uhrzeit:

Name des Ersthelfers/Erste-Hilfe-Leistenden:

Art und Weise der Maßnahmen:

Erste-Hilfe-Material (verwendet/entnommen):

© FORUM VERLAG HERKERT GMBH

Erste-Hilfe-Meldeblock

Notfallversorgungsnachweis gem. DGUV Vorschrift 1

Firma/Einrichtung und Stempel

Die Eintragungen sollen durch den Ersthelfer sorgfältig und vollständig erfolgen. Leisten Sie als Ersthelfer nur diejenige Erste Hilfe, die Sie beherrschen, und schalten Sie dann erforderlichenfalls weitere fachkundige Stellen ein (z. B. Sanitätsstelle, Betriebsarzt, externe Ärzte oder Krankenhäuser).

Hinweis: Bewahren Sie den Notfallversorgungsnachweis mindestens fünf Jahre auf. Verwahren Sie diesen am besten bei Ihren Personalunterlagen, denn dieser Nachweis beinhaltet personenbezogene Aufzeichnungen.

Angaben zum Hergang des Unfalls bzw. des Gesundheitsschadens

Laufende Nummer:	Datum/Uhrzeit:

Name des Verletzten/Verunfallten/Erkrankten:

Hergang des Unfalls/der Verletzung/Vermutete Ursache der Erkrankung:

Unfallfolgen/Art der Verletzung/Erkrankung/Symptome/Befund:

Name des/der Zeugen:

Erste-Hilfe-Leistung

Datum/Uhrzeit:

Name des Ersthelfers/Erste-Hilfe-Leistenden:

Art und Weise der Maßnahmen:

Erste-Hilfe-Material (verwendet/entnommen):

FORUM
© FORUM VERLAG HERKERT GMBH

Erste-Hilfe-Meldeblock

Notfallversorgungsnachweis gem. DGUV Vorschrift 1

Firma/Einrichtung und Stempel

Die Eintragungen sollen durch den Ersthelfer sorgfältig und vollständig erfolgen. Leisten Sie als Ersthelfer nur diejenige Erste Hilfe, die Sie beherrschen, und schalten Sie dann erforderlichenfalls weitere fachkundige Stellen ein (z. B. Sanitätsstelle, Betriebsarzt, externe Ärzte oder Krankenhäuser).

Hinweis: Bewahren Sie den Notfallversorgungsnachweis mindestens fünf Jahre auf. Verwahren Sie diesen am besten bei Ihren Personalunterlagen, denn dieser Nachweis beinhaltet personenbezogene Aufzeichnungen.

Angaben zum Hergang des Unfalls bzw. des Gesundheitsschadens

Laufende Nummer:

Datum/Uhrzeit:

Name des Verletzten/Verunfallten/Erkrankten:

Hergang des Unfalls/der Verletzung/Vermutete Ursache der Erkrankung:

Unfallfolgen/Art der Verletzung/Erkrankung/Symptome/Befund:

Name des/der Zeugen:

Erste-Hilfe-Leistung

Datum/Uhrzeit:

Name des Ersthelfers/Erste-Hilfe-Leistenden:

Art und Weise der Maßnahmen:

Erste-Hilfe-Material (verwendet/entnommen):

© FORUM VERLAG HERKERT GMBH

Erste-Hilfe-Meldeblock

Notfallversorgungsnachweis gem. DGUV Vorschrift 1

Firma/Einrichtung und Stempel

Die Eintragungen sollen durch den Ersthelfer sorgfältig und vollständig erfolgen. Leisten Sie als Ersthelfer nur diejenige Erste Hilfe, die Sie beherrschen, und schalten Sie dann erforderlichenfalls weitere fachkundige Stellen ein (z. B. Sanitätsstelle, Betriebsarzt, externe Ärzte oder Krankenhäuser).

Hinweis: Bewahren Sie den Notfallversorgungsnachweis mindestens fünf Jahre auf. Verwahren Sie diesen am besten bei Ihren Personalunterlagen, denn dieser Nachweis beinhaltet personenbezogene Aufzeichnungen.

Angaben zum Hergang des Unfalls bzw. des Gesundheitsschadens

Laufende Nummer:	Datum/Uhrzeit:

Name des Verletzten/Verunfallten/Erkrankten:

Hergang des Unfalls/der Verletzung/Vermutete Ursache der Erkrankung:

Unfallfolgen/Art der Verletzung/Erkrankung/Symptome/Befund:

Name des/der Zeugen:

Erste-Hilfe-Leistung

Datum/Uhrzeit:

Name des Ersthelfers/Erste-Hilfe-Leistenden:

Art und Weise der Maßnahmen:

Erste-Hilfe-Material (verwendet/entnommen):

© FORUM VERLAG HERKERT GMBH

Erste-Hilfe-Meldeblock

Notfallversorgungsnachweis gem. DGUV Vorschrift 1

Firma/Einrichtung und Stempel

Die Eintragungen sollen durch den Ersthelfer sorgfältig und vollständig erfolgen. Leisten Sie als Ersthelfer nur diejenige Erste Hilfe, die Sie beherrschen, und schalten Sie dann erforderlichenfalls weitere fachkundige Stellen ein (z. B. Sanitätsstelle, Betriebsarzt, externe Ärzte oder Krankenhäuser).

Hinweis: Bewahren Sie den Notfallversorgungsnachweis mindestens fünf Jahre auf. Verwahren Sie diesen am besten bei Ihren Personalunterlagen, denn dieser Nachweis beinhaltet personenbezogene Aufzeichnungen.

Angaben zum Hergang des Unfalls bzw. des Gesundheitsschadens

Laufende Nummer:	Datum/Uhrzeit:
Name des Verletzten/Verunfallten/Erkrankten:	
Hergang des Unfalls/der Verletzung/Vermutete Ursache der Erkrankung:	
Unfallfolgen/Art der Verletzung/Erkrankung/Symptome/Befund:	
Name des/der Zeugen:	

Erste-Hilfe-Leistung

Datum/Uhrzeit:
Name des Ersthelfers/Erste-Hilfe-Leistenden:
Art und Weise der Maßnahmen:
Erste-Hilfe-Material (verwendet/entnommen):

FORUM

© FORUM VERLAG HERKERT GMBH

Erste-Hilfe-Meldeblock

Notfallversorgungsnachweis gem. DGUV Vorschrift 1

Firma/Einrichtung und Stempel

Die Eintragungen sollen durch den Ersthelfer sorgfältig und vollständig erfolgen. Leisten Sie als Ersthelfer nur diejenige Erste Hilfe, die Sie beherrschen, und schalten Sie dann erforderlichenfalls weitere fachkundige Stellen ein (z. B. Sanitätsstelle, Betriebsarzt, externe Ärzte oder Krankenhäuser).

Hinweis: Bewahren Sie den Notfallversorgungsnachweis mindestens fünf Jahre auf. Verwahren Sie diesen am besten bei Ihren Personalunterlagen, denn dieser Nachweis beinhaltet personenbezogene Aufzeichnungen.

Angaben zum Hergang des Unfalls bzw. des Gesundheitsschadens

Laufende Nummer:	Datum/Uhrzeit:

Name des Verletzten/Verunfallten/Erkrankten:

Hergang des Unfalls/der Verletzung/Vermutete Ursache der Erkrankung:

Unfallfolgen/Art der Verletzung/Erkrankung/Symptome/Befund:

Name des/der Zeugen:

Erste-Hilfe-Leistung

Datum/Uhrzeit:

Name des Ersthelfers/Erste-Hilfe-Leistenden:

Art und Weise der Maßnahmen:

Erste-Hilfe-Material (verwendet/entnommen):

© FORUM VERLAG HERKERT GMBH

Erste-Hilfe-Meldeblock

Notfallversorgungsnachweis gem. DGUV Vorschrift 1

Firma/Einrichtung und Stempel

Die Eintragungen sollen durch den Ersthelfer sorgfältig und vollständig erfolgen. Leisten Sie als Ersthelfer nur diejenige Erste Hilfe, die Sie beherrschen, und schalten Sie dann erforderlichenfalls weitere fachkundige Stellen ein (z. B. Sanitätsstelle, Betriebsarzt, externe Ärzte oder Krankenhäuser).

Hinweis: Bewahren Sie den Notfallversorgungsnachweis mindestens fünf Jahre auf. Verwahren Sie diesen am besten bei Ihren Personalunterlagen, denn dieser Nachweis beinhaltet personenbezogene Aufzeichnungen.

Angaben zum Hergang des Unfalls bzw. des Gesundheitsschadens

Laufende Nummer:	Datum/Uhrzeit:
Name des Verletzten/Verunfallten/Erkrankten:	
Hergang des Unfalls/der Verletzung/Vermutete Ursache der Erkrankung:	
Unfallfolgen/Art der Verletzung/Erkrankung/Symptome/Befund:	
Name des/der Zeugen:	

Erste-Hilfe-Leistung

Datum/Uhrzeit:
Name des Ersthelfers/Erste-Hilfe-Leistenden:
Art und Weise der Maßnahmen:
Erste-Hilfe-Material (verwendet/entnommen):

FORUM
© FORUM VERLAG HERKERT GMBH

Erste-Hilfe-Meldeblock

Notfallversorgungsnachweis gem. DGUV Vorschrift 1

Firma/Einrichtung und Stempel

Die Eintragungen sollen durch den Ersthelfer sorgfältig und vollständig erfolgen. Leisten Sie als Ersthelfer nur diejenige Erste Hilfe, die Sie beherrschen, und schalten Sie dann erforderlichenfalls weitere fachkundige Stellen ein (z. B. Sanitätsstelle, Betriebsarzt, externe Ärzte oder Krankenhäuser).

Hinweis: Bewahren Sie den Notfallversorgungsnachweis mindestens fünf Jahre auf. Verwahren Sie diesen am besten bei Ihren Personalunterlagen, denn dieser Nachweis beinhaltet personenbezogene Aufzeichnungen.

Angaben zum Hergang des Unfalls bzw. des Gesundheitsschadens

Laufende Nummer:	Datum/Uhrzeit:

Name des Verletzten/Verunfallten/Erkrankten:

Hergang des Unfalls/der Verletzung/Vermutete Ursache der Erkrankung:

Unfallfolgen/Art der Verletzung/Erkrankung/Symptome/Befund:

Name des/der Zeugen:

Erste-Hilfe-Leistung

Datum/Uhrzeit:

Name des Ersthelfers/Erste-Hilfe-Leistenden:

Art und Weise der Maßnahmen:

Erste-Hilfe-Material (verwendet/entnommen):

© FORUM VERLAG HERKERT GMBH

Erste-Hilfe-Meldeblock

Notfallversorgungsnachweis gem. DGUV Vorschrift 1

Firma/Einrichtung und Stempel

Die Eintragungen sollen durch den Ersthelfer sorgfältig und vollständig erfolgen. Leisten Sie als Ersthelfer nur diejenige Erste Hilfe, die Sie beherrschen, und schalten Sie dann erforderlichenfalls weitere fachkundige Stellen ein (z. B. Sanitätsstelle, Betriebsarzt, externe Ärzte oder Krankenhäuser).

Hinweis: Bewahren Sie den Notfallversorgungsnachweis mindestens fünf Jahre auf. Verwahren Sie diesen am besten bei Ihren Personalunterlagen, denn dieser Nachweis beinhaltet personenbezogene Aufzeichnungen.

Angaben zum Hergang des Unfalls bzw. des Gesundheitsschadens

Laufende Nummer:	Datum/Uhrzeit:
Name des Verletzten/Verunfallten/Erkrankten:	
Hergang des Unfalls/der Verletzung/Vermutete Ursache der Erkrankung:	
Unfallfolgen/Art der Verletzung/Erkrankung/Symptome/Befund:	
Name des/der Zeugen:	

Erste-Hilfe-Leistung

Datum/Uhrzeit:

Name des Ersthelfers/Erste-Hilfe-Leistenden:

Art und Weise der Maßnahmen:

Erste-Hilfe-Material (verwendet/entnommen):

© FORUM VERLAG HERKERT GMBH
12/25

Erste-Hilfe-Meldeblock

Notfallversorgungsnachweis gem. DGUV Vorschrift 1

Firma/Einrichtung und Stempel

Die Eintragungen sollen durch den Ersthelfer sorgfältig und vollständig erfolgen. Leisten Sie als Ersthelfer nur diejenige Erste Hilfe, die Sie beherrschen, und schalten Sie dann erforderlichenfalls weitere fachkundige Stellen ein (z. B. Sanitätsstelle, Betriebsarzt, externe Ärzte oder Krankenhäuser).

Hinweis: Bewahren Sie den Notfallversorgungsnachweis mindestens fünf Jahre auf. Verwahren Sie diesen am besten bei Ihren Personalunterlagen, denn dieser Nachweis beinhaltet personenbezogene Aufzeichnungen.

Angaben zum Hergang des Unfalls bzw. des Gesundheitsschadens

Laufende Nummer:	Datum/Uhrzeit:
Name des Verletzten/Verunfallten/Erkrankten:	
Hergang des Unfalls/der Verletzung/Vermutete Ursache der Erkrankung:	
Unfallfolgen/Art der Verletzung/Erkrankung/Symptome/Befund:	
Name des/der Zeugen:	

Erste-Hilfe-Leistung

Datum/Uhrzeit:
Name des Ersthelfers/Erste-Hilfe-Leistenden:
Art und Weise der Maßnahmen:
Erste-Hilfe-Material (verwendet/entnommen):

© FORUM VERLAG HERKERT GMBH
12/25

Erste-Hilfe-Meldeblock

Notfallversorgungsnachweis gem. DGUV Vorschrift 1

Firma/Einrichtung und Stempel

Die Eintragungen sollen durch den Ersthelfer sorgfältig und vollständig erfolgen. Leisten Sie als Ersthelfer nur diejenige Erste Hilfe, die Sie beherrschen, und schalten Sie dann erforderlichenfalls weitere fachkundige Stellen ein (z. B. Sanitätsstelle, Betriebsarzt, externe Ärzte oder Krankenhäuser).

Hinweis: Bewahren Sie den Notfallversorgungsnachweis mindestens fünf Jahre auf. Verwahren Sie diesen am besten bei Ihren Personalunterlagen, denn dieser Nachweis beinhaltet personenbezogene Aufzeichnungen.

Angaben zum Hergang des Unfalls bzw. des Gesundheitsschadens

Laufende Nummer:

Datum/Uhrzeit:

Name des Verletzten/Verunfallten/Erkrankten:

Hergang des Unfalls/der Verletzung/Vermutete Ursache der Erkrankung:

Unfallfolgen/Art der Verletzung/Erkrankung/Symptome/Befund:

Name des/der Zeugen:

Erste-Hilfe-Leistung

Datum/Uhrzeit:

Name des Ersthelfers/Erste-Hilfe-Leistenden:

Art und Weise der Maßnahmen:

Erste-Hilfe-Material (verwendet/entnommen):

© FORUM VERLAG HERKERT GMBH

Erste-Hilfe-Meldeblock

Notfallversorgungsnachweis gem. DGUV Vorschrift 1

Firma/Einrichtung und Stempel

Die Eintragungen sollen durch den Ersthelfer sorgfältig und vollständig erfolgen. Leisten Sie als Ersthelfer nur diejenige Erste Hilfe, die Sie beherrschen, und schalten Sie dann erforderlichenfalls weitere fachkundige Stellen ein (z. B. Sanitätsstelle, Betriebsarzt, externe Ärzte oder Krankenhäuser).

Hinweis: Bewahren Sie den Notfallversorgungsnachweis mindestens fünf Jahre auf. Verwahren Sie diesen am besten bei Ihren Personalunterlagen, denn dieser Nachweis beinhaltet personenbezogene Aufzeichnungen.

Angaben zum Hergang des Unfalls bzw. des Gesundheitsschadens

Laufende Nummer:	Datum/Uhrzeit:
Name des Verletzten/Verunfallten/Erkrankten:	
Hergang des Unfalls/der Verletzung/Vermutete Ursache der Erkrankung:	
Unfallfolgen/Art der Verletzung/Erkrankung/Symptome/Befund:	
Name des/der Zeugen:	

Erste-Hilfe-Leistung

Datum/Uhrzeit:
Name des Ersthelfers/Erste-Hilfe-Leistenden:
Art und Weise der Maßnahmen:
Erste-Hilfe-Material (verwendet/entnommen):

© FORUM VERLAG HERKERT GMBH

12/25

Erste-Hilfe-Meldeblock

Notfallversorgungsnachweis gem. DGUV Vorschrift 1

Firma/Einrichtung und Stempel

Die Eintragungen sollen durch den Ersthelfer sorgfältig und vollständig erfolgen. Leisten Sie als Ersthelfer nur diejenige Erste Hilfe, die Sie beherrschen, und schalten Sie dann erforderlichenfalls weitere fachkundige Stellen ein (z. B. Sanitätsstelle, Betriebsarzt, externe Ärzte oder Krankenhäuser).

Hinweis: Bewahren Sie den Notfallversorgungsnachweis mindestens fünf Jahre auf. Verwahren Sie diesen am besten bei Ihren Personalunterlagen, denn dieser Nachweis beinhaltet personenbezogene Aufzeichnungen.

Angaben zum Hergang des Unfalls bzw. des Gesundheitsschadens

Laufende Nummer:	Datum/Uhrzeit:
Name des Verletzten/Verunfallten/Erkrankten:	
Hergang des Unfalls/der Verletzung/Vermutete Ursache der Erkrankung:	
Unfallfolgen/Art der Verletzung/Erkrankung/Symptome/Befund:	
Name des/der Zeugen:	

Erste-Hilfe-Leistung

Datum/Uhrzeit:
Name des Ersthelfers/Erste-Hilfe-Leistenden:
Art und Weise der Maßnahmen:
Erste-Hilfe-Material (verwendet/entnommen):

Erste-Hilfe-Meldeblock

Notfallversorgungsnachweis gem. DGUV Vorschrift 1

Firma/Einrichtung und Stempel

Die Eintragungen sollen durch den Ersthelfer sorgfältig und vollständig erfolgen. Leisten Sie als Ersthelfer nur diejenige Erste Hilfe, die Sie beherrschen, und schalten Sie dann erforderlichenfalls weitere fachkundige Stellen ein (z. B. Sanitätsstelle, Betriebsarzt, externe Ärzte oder Krankenhäuser).

Hinweis: Bewahren Sie den Notfallversorgungsnachweis mindestens fünf Jahre auf. Verwahren Sie diesen am besten bei Ihren Personalunterlagen, denn dieser Nachweis beinhaltet personenbezogene Aufzeichnungen.

Angaben zum Hergang des Unfalls bzw. des Gesundheitsschadens

Laufende Nummer:	Datum/Uhrzeit:
Name des Verletzten/Verunfallten/Erkrankten:	
Hergang des Unfalls/der Verletzung/Vermutete Ursache der Erkrankung:	
Unfallfolgen/Art der Verletzung/Erkrankung/Symptome/Befund:	
Name des/der Zeugen:	

Erste-Hilfe-Leistung

Datum/Uhrzeit:
Name des Ersthelfers/Erste-Hilfe-Leistenden:
Art und Weise der Maßnahmen:
Erste-Hilfe-Material (verwendet/entnommen):

© FORUM VERLAG HERKERT GMBH

Erste-Hilfe-Meldeblock

Notfallversorgungsnachweis gem. DGUV Vorschrift 1

Firma/Einrichtung und Stempel

Die Eintragungen sollen durch den Ersthelfer sorgfältig und vollständig erfolgen. Leisten Sie als Ersthelfer nur diejenige Erste Hilfe, die Sie beherrschen, und schalten Sie dann erforderlichenfalls weitere fachkundige Stellen ein (z. B. Sanitätsstelle, Betriebsarzt, externe Ärzte oder Krankenhäuser).

Hinweis: Bewahren Sie den Notfallversorgungsnachweis mindestens fünf Jahre auf. Verwahren Sie diesen am besten bei Ihren Personalunterlagen, denn dieser Nachweis beinhaltet personenbezogene Aufzeichnungen.

Angaben zum Hergang des Unfalls bzw. des Gesundheitsschadens

Laufende Nummer:	Datum/Uhrzeit:

Name des Verletzten/Verunfallten/Erkrankten:

Hergang des Unfalls/der Verletzung/Vermutete Ursache der Erkrankung:

Unfallfolgen/Art der Verletzung/Erkrankung/Symptome/Befund:

Name des/der Zeugen:

Erste-Hilfe-Leistung

Datum/Uhrzeit:

Name des Ersthelfers/Erste-Hilfe-Leistenden:

Art und Weise der Maßnahmen:

Erste-Hilfe-Material (verwendet/entnommen):

© FORUM VERLAG HERKERT GMBH

Erste-Hilfe-Meldeblock

Notfallversorgungsnachweis gem. DGUV Vorschrift 1

Firma/Einrichtung und Stempel

Die Eintragungen sollen durch den Ersthelfer sorgfältig und vollständig erfolgen. Leisten Sie als Ersthelfer nur diejenige Erste Hilfe, die Sie beherrschen, und schalten Sie dann erforderlichenfalls weitere fachkundige Stellen ein (z. B. Sanitätsstelle, Betriebsarzt, externe Ärzte oder Krankenhäuser).

Hinweis: Bewahren Sie den Notfallversorgungsnachweis mindestens fünf Jahre auf. Verwahren Sie diesen am besten bei Ihren Personalunterlagen, denn dieser Nachweis beinhaltet personenbezogene Aufzeichnungen.

Angaben zum Hergang des Unfalls bzw. des Gesundheitsschadens

Laufende Nummer:	Datum/Uhrzeit:

Name des Verletzten/Verunfallten/Erkrankten:

Hergang des Unfalls/der Verletzung/Vermutete Ursache der Erkrankung:

Unfallfolgen/Art der Verletzung/Erkrankung/Symptome/Befund:

Name des/der Zeugen:

Erste-Hilfe-Leistung

Datum/Uhrzeit:

Name des Ersthelfers/Erste-Hilfe-Leistenden:

Art und Weise der Maßnahmen:

Erste-Hilfe-Material (verwendet/entnommen):

© FORUM VERLAG HERKERT GMBH

Erste-Hilfe-Meldeblock

Notfallversorgungsnachweis gem. DGUV Vorschrift 1

Firma/Einrichtung und Stempel

Die Eintragungen sollen durch den Ersthelfer sorgfältig und vollständig erfolgen. Leisten Sie als Ersthelfer nur diejenige Erste Hilfe, die Sie beherrschen, und schalten Sie dann erforderlichenfalls weitere fachkundige Stellen ein (z. B. Sanitätsstelle, Betriebsarzt, externe Ärzte oder Krankenhäuser).

Hinweis: Bewahren Sie den Notfallversorgungsnachweis mindestens fünf Jahre auf. Verwahren Sie diesen am besten bei Ihren Personalunterlagen, denn dieser Nachweis beinhaltet personenbezogene Aufzeichnungen.

Angaben zum Hergang des Unfalls bzw. des Gesundheitsschadens

Laufende Nummer:	Datum/Uhrzeit:
Name des Verletzten/Verunfallten/Erkrankten:	
Hergang des Unfalls/der Verletzung/Vermutete Ursache der Erkrankung:	
Unfallfolgen/Art der Verletzung/Erkrankung/Symptome/Befund:	
Name des/der Zeugen:	

Erste-Hilfe-Leistung

Datum/Uhrzeit:
Name des Ersthelfers/Erste-Hilfe-Leistenden:
Art und Weise der Maßnahmen:
Erste-Hilfe-Material (verwendet/entnommen):

© FORUM VERLAG HERKERT GMBH

Erste-Hilfe-Meldeblock

Notfallversorgungsnachweis gem. DGUV Vorschrift 1

Firma/Einrichtung und Stempel

Die Eintragungen sollen durch den Ersthelfer sorgfältig und vollständig erfolgen. Leisten Sie als Ersthelfer nur diejenige Erste Hilfe, die Sie beherrschen, und schalten Sie dann erforderlichenfalls weitere fachkundige Stellen ein (z. B. Sanitätsstelle, Betriebsarzt, externe Ärzte oder Krankenhäuser).

Hinweis: Bewahren Sie den Notfallversorgungsnachweis mindestens fünf Jahre auf. Verwahren Sie diesen am besten bei Ihren Personalunterlagen, denn dieser Nachweis beinhaltet personenbezogene Aufzeichnungen.

Angaben zum Hergang des Unfalls bzw. des Gesundheitsschadens	
Laufende Nummer:	Datum/Uhrzeit:
Name des Verletzten/Verunfallten/Erkrankten:	
Hergang des Unfalls/der Verletzung/Vermutete Ursache der Erkrankung:	
Unfallfolgen/Art der Verletzung/Erkrankung/Symptome/Befund:	
Name des/der Zeugen:	

Erste-Hilfe-Leistung
Datum/Uhrzeit:
Name des Ersthelfers/Erste-Hilfe-Leistenden:
Art und Weise der Maßnahmen:
Erste-Hilfe-Material (verwendet/entnommen):

FORUM

© FORUM VERLAG HERKERT GMBH

Erste-Hilfe-Meldeblock

Notfallversorgungsnachweis gem. DGUV Vorschrift 1

Firma/Einrichtung und Stempel

Die Eintragungen sollen durch den Ersthelfer sorgfältig und vollständig erfolgen. Leisten Sie als Ersthelfer nur diejenige Erste Hilfe, die Sie beherrschen, und schalten Sie dann erforderlichenfalls weitere fachkundige Stellen ein (z. B. Sanitätsstelle, Betriebsarzt, externe Ärzte oder Krankenhäuser).

Hinweis: Bewahren Sie den Notfallversorgungsnachweis mindestens fünf Jahre auf. Verwahren Sie diesen am besten bei Ihren Personalunterlagen, denn dieser Nachweis beinhaltet personenbezogene Aufzeichnungen.

Angaben zum Hergang des Unfalls bzw. des Gesundheitsschadens

Laufende Nummer:	Datum/Uhrzeit:
Name des Verletzten/Verunfallten/Erkrankten:	
Hergang des Unfalls/der Verletzung/Vermutete Ursache der Erkrankung:	
Unfallfolgen/Art der Verletzung/Erkrankung/Symptome/Befund:	
Name des/der Zeugen:	

Erste-Hilfe-Leistung

Datum/Uhrzeit:
Name des Ersthelfers/Erste-Hilfe-Leistenden:
Art und Weise der Maßnahmen:
Erste-Hilfe-Material (verwendet/entnommen):

Erste-Hilfe-Meldeblock

Notfallversorgungsnachweis gem. DGUV Vorschrift 1

Firma/Einrichtung und Stempel

Die Eintragungen sollen durch den Ersthelfer sorgfältig und vollständig erfolgen. Leisten Sie als Ersthelfer nur diejenige Erste Hilfe, die Sie beherrschen, und schalten Sie dann erforderlichenfalls weitere fachkundige Stellen ein (z. B. Sanitätsstelle, Betriebsarzt, externe Ärzte oder Krankenhäuser).

Hinweis: Bewahren Sie den Notfallversorgungsnachweis mindestens fünf Jahre auf. Verwahren Sie diesen am besten bei Ihren Personalunterlagen, denn dieser Nachweis beinhaltet personenbezogene Aufzeichnungen.

Angaben zum Hergang des Unfalls bzw. des Gesundheitsschadens

Laufende Nummer:	Datum/Uhrzeit:

Name des Verletzten/Verunfallten/Erkrankten:

Hergang des Unfalls/der Verletzung/Vermutete Ursache der Erkrankung:

Unfallfolgen/Art der Verletzung/Erkrankung/Symptome/Befund:

Name des/der Zeugen:

Erste-Hilfe-Leistung

Datum/Uhrzeit:

Name des Ersthelfers/Erste-Hilfe-Leistenden:

Art und Weise der Maßnahmen:

Erste-Hilfe-Material (verwendet/entnommen):

© FORUM VERLAG HERKERT GMBH

Erste-Hilfe-Meldeblock

Notfallversorgungsnachweis gem. DGUV Vorschrift 1

Firma/Einrichtung und Stempel

Die Eintragungen sollen durch den Ersthelfer sorgfältig und vollständig erfolgen. Leisten Sie als Ersthelfer nur diejenige Erste Hilfe, die Sie beherrschen, und schalten Sie dann erforderlichenfalls weitere fachkundige Stellen ein (z. B. Sanitätsstelle, Betriebsarzt, externe Ärzte oder Krankenhäuser).

Hinweis: Bewahren Sie den Notfallversorgungsnachweis mindestens fünf Jahre auf. Verwahren Sie diesen am besten bei Ihren Personalunterlagen, denn dieser Nachweis beinhaltet personenbezogene Aufzeichnungen.

Angaben zum Hergang des Unfalls bzw. des Gesundheitsschadens

Laufende Nummer:	Datum/Uhrzeit:

Name des Verletzten/Verunfallten/Erkrankten:

Hergang des Unfalls/der Verletzung/Vermutete Ursache der Erkrankung:

Unfallfolgen/Art der Verletzung/Erkrankung/Symptome/Befund:

Name des/der Zeugen:

Erste-Hilfe-Leistung

Datum/Uhrzeit:

Name des Ersthelfers/Erste-Hilfe-Leistenden:

Art und Weise der Maßnahmen:

Erste-Hilfe-Material (verwendet/entnommen):

Erste-Hilfe-Meldeblock

Notfallversorgungsnachweis gem. DGUV Vorschrift 1

Firma/Einrichtung und Stempel

Die Eintragungen sollen durch den Ersthelfer sorgfältig und vollständig erfolgen. Leisten Sie als Ersthelfer nur diejenige Erste Hilfe, die Sie beherrschen, und schalten Sie dann erforderlichenfalls weitere fachkundige Stellen ein (z. B. Sanitätsstelle, Betriebsarzt, externe Ärzte oder Krankenhäuser).

Hinweis: Bewahren Sie den Notfallversorgungsnachweis mindestens fünf Jahre auf. Verwahren Sie diesen am besten bei Ihren Personalunterlagen, denn dieser Nachweis beinhaltet personenbezogene Aufzeichnungen.

Angaben zum Hergang des Unfalls bzw. des Gesundheitsschadens

Laufende Nummer:	Datum/Uhrzeit:
Name des Verletzten/Verunfallten/Erkrankten:	
Hergang des Unfalls/der Verletzung/Vermutete Ursache der Erkrankung:	
Unfallfolgen/Art der Verletzung/Erkrankung/Symptome/Befund:	
Name des/der Zeugen:	

Erste-Hilfe-Leistung

Datum/Uhrzeit:
Name des Ersthelfers/Erste-Hilfe-Leistenden:
Art und Weise der Maßnahmen:
Erste-Hilfe-Material (verwendet/entnommen):

FORUM
© FORUM VERLAG HERKERT GMBH

Erste-Hilfe-Meldeblock

Notfallversorgungsnachweis gem. DGUV Vorschrift 1

Firma/Einrichtung und Stempel

Die Eintragungen sollen durch den Ersthelfer sorgfältig und vollständig erfolgen. Leisten Sie als Ersthelfer nur diejenige Erste Hilfe, die Sie beherrschen, und schalten Sie dann erforderlichenfalls weitere fachkundige Stellen ein (z. B. Sanitätsstelle, Betriebsarzt, externe Ärzte oder Krankenhäuser).

Hinweis: Bewahren Sie den Notfallversorgungsnachweis mindestens fünf Jahre auf. Verwahren Sie diesen am besten bei Ihren Personalunterlagen, denn dieser Nachweis beinhaltet personenbezogene Aufzeichnungen.

Angaben zum Hergang des Unfalls bzw. des Gesundheitsschadens

Laufende Nummer:	Datum/Uhrzeit:

Name des Verletzten/Verunfallten/Erkrankten:

Hergang des Unfalls/der Verletzung/Vermutete Ursache der Erkrankung:

Unfallfolgen/Art der Verletzung/Erkrankung/Symptome/Befund:

Name des/der Zeugen:

Erste-Hilfe-Leistung

Datum/Uhrzeit:

Name des Ersthelfers/Erste-Hilfe-Leistenden:

Art und Weise der Maßnahmen:

Erste-Hilfe-Material (verwendet/entnommen):

FORUM
© FORUM VERLAG HERKERT GMBH
12/25

Erste-Hilfe-Meldeblock

Notfallversorgungsnachweis gem. DGUV Vorschrift 1

Firma/Einrichtung und Stempel

Die Eintragungen sollen durch den Ersthelfer sorgfältig und vollständig erfolgen. Leisten Sie als Ersthelfer nur diejenige Erste Hilfe, die Sie beherrschen, und schalten Sie dann erforderlichenfalls weitere fachkundige Stellen ein (z. B. Sanitätsstelle, Betriebsarzt, externe Ärzte oder Krankenhäuser).

Hinweis: Bewahren Sie den Notfallversorgungsnachweis mindestens fünf Jahre auf. Verwahren Sie diesen am besten bei Ihren Personalunterlagen, denn dieser Nachweis beinhaltet personenbezogene Aufzeichnungen.

Angaben zum Hergang des Unfalls bzw. des Gesundheitsschadens

Laufende Nummer:	Datum/Uhrzeit:

Name des Verletzten/Verunfallten/Erkrankten:

Hergang des Unfalls/der Verletzung/Vermutete Ursache der Erkrankung:

Unfallfolgen/Art der Verletzung/Erkrankung/Symptome/Befund:

Name des/der Zeugen:

Erste-Hilfe-Leistung

Datum/Uhrzeit:

Name des Ersthelfers/Erste-Hilfe-Leistenden:

Art und Weise der Maßnahmen:

Erste-Hilfe-Material (verwendet/entnommen):

FORUM
© FORUM VERLAG HERKERT GMBH

Erste-Hilfe-Meldeblock

Notfallversorgungsnachweis gem. DGUV Vorschrift 1

Firma/Einrichtung und Stempel

Die Eintragungen sollen durch den Ersthelfer sorgfältig und vollständig erfolgen. Leisten Sie als Ersthelfer nur diejenige Erste Hilfe, die Sie beherrschen, und schalten Sie dann erforderlichenfalls weitere fachkundige Stellen ein (z. B. Sanitätsstelle, Betriebsarzt, externe Ärzte oder Krankenhäuser).

Hinweis: Bewahren Sie den Notfallversorgungsnachweis mindestens fünf Jahre auf. Verwahren Sie diesen am besten bei Ihren Personalunterlagen, denn dieser Nachweis beinhaltet personenbezogene Aufzeichnungen.

Angaben zum Hergang des Unfalls bzw. des Gesundheitsschadens

Laufende Nummer:	Datum/Uhrzeit:

Name des Verletzten/Verunfallten/Erkrankten:

Hergang des Unfalls/der Verletzung/Vermutete Ursache der Erkrankung:

Unfallfolgen/Art der Verletzung/Erkrankung/Symptome/Befund:

Name des/der Zeugen:

Erste-Hilfe-Leistung

Datum/Uhrzeit:

Name des Ersthelfers/Erste-Hilfe-Leistenden:

Art und Weise der Maßnahmen:

Erste-Hilfe-Material (verwendet/entnommen):

© FORUM VERLAG HERKERT GMBH

Erste-Hilfe-Meldeblock

Notfallversorgungsnachweis gem. DGUV Vorschrift 1

Firma/Einrichtung und Stempel

Die Eintragungen sollen durch den Ersthelfer sorgfältig und vollständig erfolgen. Leisten Sie als Ersthelfer nur diejenige Erste Hilfe, die Sie beherrschen, und schalten Sie dann erforderlichenfalls weitere fachkundige Stellen ein (z. B. Sanitätsstelle, Betriebsarzt, externe Ärzte oder Krankenhäuser).

Hinweis: Bewahren Sie den Notfallversorgungsnachweis mindestens fünf Jahre auf. Verwahren Sie diesen am besten bei Ihren Personalunterlagen, denn dieser Nachweis beinhaltet personenbezogene Aufzeichnungen.

Angaben zum Hergang des Unfalls bzw. des Gesundheitsschadens

Laufende Nummer:	Datum/Uhrzeit:

Name des Verletzten/Verunfallten/Erkrankten:

Hergang des Unfalls/der Verletzung/Vermutete Ursache der Erkrankung:

Unfallfolgen/Art der Verletzung/Erkrankung/Symptome/Befund:

Name des/der Zeugen:

Erste-Hilfe-Leistung

Datum/Uhrzeit:

Name des Ersthelfers/Erste-Hilfe-Leistenden:

Art und Weise der Maßnahmen:

Erste-Hilfe-Material (verwendet/entnommen):

© FORUM VERLAG HERKERT GMBH

Erste-Hilfe-Meldeblock

Notfallversorgungsnachweis gem. DGUV Vorschrift 1

Firma/Einrichtung und Stempel

Die Eintragungen sollen durch den Ersthelfer sorgfältig und vollständig erfolgen. Leisten Sie als Ersthelfer nur diejenige Erste Hilfe, die Sie beherrschen, und schalten Sie dann erforderlichenfalls weitere fachkundige Stellen ein (z. B. Sanitätsstelle, Betriebsarzt, externe Ärzte oder Krankenhäuser).

Hinweis: Bewahren Sie den Notfallversorgungsnachweis mindestens fünf Jahre auf. Verwahren Sie diesen am besten bei Ihren Personalunterlagen, denn dieser Nachweis beinhaltet personenbezogene Aufzeichnungen.

Angaben zum Hergang des Unfalls bzw. des Gesundheitsschadens

Laufende Nummer:	Datum/Uhrzeit:

Name des Verletzten/Verunfallten/Erkrankten:

Hergang des Unfalls/der Verletzung/Vermutete Ursache der Erkrankung:

Unfallfolgen/Art der Verletzung/Erkrankung/Symptome/Befund:

Name des/der Zeugen:

Erste-Hilfe-Leistung

Datum/Uhrzeit:

Name des Ersthelfers/Erste-Hilfe-Leistenden:

Art und Weise der Maßnahmen:

Erste-Hilfe-Material (verwendet/entnommen):

© FORUM VERLAG HERKERT GMBH

Erste-Hilfe-Meldeblock

Notfallversorgungsnachweis gem. DGUV Vorschrift 1

Firma/Einrichtung und Stempel

Die Eintragungen sollen durch den Ersthelfer sorgfältig und vollständig erfolgen. Leisten Sie als Ersthelfer nur diejenige Erste Hilfe, die Sie beherrschen, und schalten Sie dann erforderlichenfalls weitere fachkundige Stellen ein (z. B. Sanitätsstelle, Betriebsarzt, externe Ärzte oder Krankenhäuser).

Hinweis: Bewahren Sie den Notfallversorgungsnachweis mindestens fünf Jahre auf. Verwahren Sie diesen am besten bei Ihren Personalunterlagen, denn dieser Nachweis beinhaltet personenbezogene Aufzeichnungen.

Angaben zum Hergang des Unfalls bzw. des Gesundheitsschadens

Laufende Nummer:	Datum/Uhrzeit:

Name des Verletzten/Verunfallten/Erkrankten:

Hergang des Unfalls/der Verletzung/Vermutete Ursache der Erkrankung:

Unfallfolgen/Art der Verletzung/Erkrankung/Symptome/Befund:

Name des/der Zeugen:

Erste-Hilfe-Leistung

Datum/Uhrzeit:

Name des Ersthelfers/Erste-Hilfe-Leistenden:

Art und Weise der Maßnahmen:

Erste-Hilfe-Material (verwendet/entnommen):

© FORUM VERLAG HERKERT GMBH

Erste-Hilfe-Meldeblock

Notfallversorgungsnachweis gem. DGUV Vorschrift 1

Firma/Einrichtung und Stempel

Die Eintragungen sollen durch den Ersthelfer sorgfältig und vollständig erfolgen. Leisten Sie als Ersthelfer nur diejenige Erste Hilfe, die Sie beherrschen, und schalten Sie dann erforderlichenfalls weitere fachkundige Stellen ein (z. B. Sanitätsstelle, Betriebsarzt, externe Ärzte oder Krankenhäuser).

Hinweis: Bewahren Sie den Notfallversorgungsnachweis mindestens fünf Jahre auf. Verwahren Sie diesen am besten bei Ihren Personalunterlagen, denn dieser Nachweis beinhaltet personenbezogene Aufzeichnungen.

Angaben zum Hergang des Unfalls bzw. des Gesundheitsschadens

Laufende Nummer:	Datum/Uhrzeit:

Name des Verletzten/Verunfallten/Erkrankten:

Hergang des Unfalls/der Verletzung/Vermutete Ursache der Erkrankung:

Unfallfolgen/Art der Verletzung/Erkrankung/Symptome/Befund:

Name des/der Zeugen:

Erste-Hilfe-Leistung

Datum/Uhrzeit:

Name des Ersthelfers/Erste-Hilfe-Leistenden:

Art und Weise der Maßnahmen:

Erste-Hilfe-Material (verwendet/entnommen):

Erste-Hilfe-Meldeblock

Notfallversorgungsnachweis gem. DGUV Vorschrift 1

Firma/Einrichtung und Stempel

Die Eintragungen sollen durch den Ersthelfer sorgfältig und vollständig erfolgen. Leisten Sie als Ersthelfer nur diejenige Erste Hilfe, die Sie beherrschen, und schalten Sie dann erforderlichenfalls weitere fachkundige Stellen ein (z. B. Sanitätsstelle, Betriebsarzt, externe Ärzte oder Krankenhäuser).

Hinweis: Bewahren Sie den Notfallversorgungsnachweis mindestens fünf Jahre auf. Verwahren Sie diesen am besten bei Ihren Personalunterlagen, denn dieser Nachweis beinhaltet personenbezogene Aufzeichnungen.

Angaben zum Hergang des Unfalls bzw. des Gesundheitsschadens

Laufende Nummer:	Datum/Uhrzeit:
Name des Verletzten/Verunfallten/Erkrankten:	
Hergang des Unfalls/der Verletzung/Vermutete Ursache der Erkrankung:	
Unfallfolgen/Art der Verletzung/Erkrankung/Symptome/Befund:	
Name des/der Zeugen:	

Erste-Hilfe-Leistung

Datum/Uhrzeit:
Name des Ersthelfers/Erste-Hilfe-Leistenden:
Art und Weise der Maßnahmen:
Erste-Hilfe-Material (verwendet/entnommen):

FORUM
© FORUM VERLAG HERKERT GMBH
12/25

Erste-Hilfe-Meldeblock

Notfallversorgungsnachweis gem. DGUV Vorschrift 1

Firma/Einrichtung und Stempel

Die Eintragungen sollen durch den Ersthelfer sorgfältig und vollständig erfolgen. Leisten Sie als Ersthelfer nur diejenige Erste Hilfe, die Sie beherrschen, und schalten Sie dann erforderlichenfalls weitere fachkundige Stellen ein (z. B. Sanitätsstelle, Betriebsarzt, externe Ärzte oder Krankenhäuser).

Hinweis: Bewahren Sie den Notfallversorgungsnachweis mindestens fünf Jahre auf. Verwahren Sie diesen am besten bei Ihren Personalunterlagen, denn dieser Nachweis beinhaltet personenbezogene Aufzeichnungen.

Angaben zum Hergang des Unfalls bzw. des Gesundheitsschadens

Laufende Nummer:	Datum/Uhrzeit:
Name des Verletzten/Verunfallten/Erkrankten:	
Hergang des Unfalls/der Verletzung/Vermutete Ursache der Erkrankung:	
Unfallfolgen/Art der Verletzung/Erkrankung/Symptome/Befund:	
Name des/der Zeugen:	

Erste-Hilfe-Leistung

Datum/Uhrzeit:
Name des Ersthelfers/Erste-Hilfe-Leistenden:
Art und Weise der Maßnahmen:
Erste-Hilfe-Material (verwendet/entnommen):

FORUM
© FORUM VERLAG HERKERT GMBH

Erste-Hilfe-Meldeblock

Notfallversorgungsnachweis gem. DGUV Vorschrift 1

Firma/Einrichtung und Stempel

Die Eintragungen sollen durch den Ersthelfer sorgfältig und vollständig erfolgen. Leisten Sie als Ersthelfer nur diejenige Erste Hilfe, die Sie beherrschen, und schalten Sie dann erforderlichenfalls weitere fachkundige Stellen ein (z. B. Sanitätsstelle, Betriebsarzt, externe Ärzte oder Krankenhäuser).

Hinweis: Bewahren Sie den Notfallversorgungsnachweis mindestens fünf Jahre auf. Verwahren Sie diesen am besten bei Ihren Personalunterlagen, denn dieser Nachweis beinhaltet personenbezogene Aufzeichnungen.

Angaben zum Hergang des Unfalls bzw. des Gesundheitsschadens

Laufende Nummer:	Datum/Uhrzeit:

Name des Verletzten/Verunfallten/Erkrankten:

Hergang des Unfalls/der Verletzung/Vermutete Ursache der Erkrankung:

Unfallfolgen/Art der Verletzung/Erkrankung/Symptome/Befund:

Name des/der Zeugen:

Erste-Hilfe-Leistung

Datum/Uhrzeit:

Name des Ersthelfers/Erste-Hilfe-Leistenden:

Art und Weise der Maßnahmen:

Erste-Hilfe-Material (verwendet/entnommen):

FORUM
© FORUM VERLAG HERKERT GMBH
12/25

Erste-Hilfe-Meldeblock

Notfallversorgungsnachweis gem. DGUV Vorschrift 1

Firma/Einrichtung und Stempel

Die Eintragungen sollen durch den Ersthelfer sorgfältig und vollständig erfolgen. Leisten Sie als Ersthelfer nur diejenige Erste Hilfe, die Sie beherrschen, und schalten Sie dann erforderlichenfalls weitere fachkundige Stellen ein (z. B. Sanitätsstelle, Betriebsarzt, externe Ärzte oder Krankenhäuser).

Hinweis: Bewahren Sie den Notfallversorgungsnachweis mindestens fünf Jahre auf. Verwahren Sie diesen am besten bei Ihren Personalunterlagen, denn dieser Nachweis beinhaltet personenbezogene Aufzeichnungen.

Angaben zum Hergang des Unfalls bzw. des Gesundheitsschadens

Laufende Nummer:	Datum/Uhrzeit:
Name des Verletzten/Verunfallten/Erkrankten:	
Hergang des Unfalls/der Verletzung/Vermutete Ursache der Erkrankung:	
Unfallfolgen/Art der Verletzung/Erkrankung/Symptome/Befund:	
Name des/der Zeugen:	

Erste-Hilfe-Leistung

Datum/Uhrzeit:
Name des Ersthelfers/Erste-Hilfe-Leistenden:
Art und Weise der Maßnahmen:
Erste-Hilfe-Material (verwendet/entnommen):

© FORUM VERLAG HERKERT GMBH
12/25

Erste-Hilfe-Meldeblock

Notfallversorgungsnachweis gem. DGUV Vorschrift 1

Firma/Einrichtung und Stempel

Die Eintragungen sollen durch den Ersthelfer sorgfältig und vollständig erfolgen. Leisten Sie als Ersthelfer nur diejenige Erste Hilfe, die Sie beherrschen, und schalten Sie dann erforderlichenfalls weitere fachkundige Stellen ein (z. B. Sanitätsstelle, Betriebsarzt, externe Ärzte oder Krankenhäuser).

Hinweis: Bewahren Sie den Notfallversorgungsnachweis mindestens fünf Jahre auf. Verwahren Sie diesen am besten bei Ihren Personalunterlagen, denn dieser Nachweis beinhaltet personenbezogene Aufzeichnungen.

Angaben zum Hergang des Unfalls bzw. des Gesundheitsschadens

Laufende Nummer:	Datum/Uhrzeit:
Name des Verletzten/Verunfallten/Erkrankten:	
Hergang des Unfalls/der Verletzung/Vermutete Ursache der Erkrankung:	
Unfallfolgen/Art der Verletzung/Erkrankung/Symptome/Befund:	
Name des/der Zeugen:	

Erste-Hilfe-Leistung

Datum/Uhrzeit:
Name des Ersthelfers/Erste-Hilfe-Leistenden:
Art und Weise der Maßnahmen:
Erste-Hilfe-Material (verwendet/entnommen):

Erste-Hilfe-Meldeblock

Notfallversorgungsnachweis gem. DGUV Vorschrift 1

Firma/Einrichtung und Stempel

Die Eintragungen sollen durch den Ersthelfer sorgfältig und vollständig erfolgen. Leisten Sie als Ersthelfer nur diejenige Erste Hilfe, die Sie beherrschen, und schalten Sie dann erforderlichenfalls weitere fachkundige Stellen ein (z. B. Sanitätsstelle, Betriebsarzt, externe Ärzte oder Krankenhäuser).

Hinweis: Bewahren Sie den Notfallversorgungsnachweis mindestens fünf Jahre auf. Verwahren Sie diesen am besten bei Ihren Personalunterlagen, denn dieser Nachweis beinhaltet personenbezogene Aufzeichnungen.

Angaben zum Hergang des Unfalls bzw. des Gesundheitsschadens

Laufende Nummer:	Datum/Uhrzeit:
Name des Verletzten/Verunfallten/Erkrankten:	
Hergang des Unfalls/der Verletzung/Vermutete Ursache der Erkrankung:	
Unfallfolgen/Art der Verletzung/Erkrankung/Symptome/Befund:	
Name des/der Zeugen:	

Erste-Hilfe-Leistung

Datum/Uhrzeit:
Name des Ersthelfers/Erste-Hilfe-Leistenden:
Art und Weise der Maßnahmen:
Erste-Hilfe-Material (verwendet/entnommen):

© FORUM VERLAG HERKERT GMBH
12/25

Erste-Hilfe-Meldeblock

Notfallversorgungsnachweis gem. DGUV Vorschrift 1

Firma/Einrichtung und Stempel

Die Eintragungen sollen durch den Ersthelfer sorgfältig und vollständig erfolgen. Leisten Sie als Ersthelfer nur diejenige Erste Hilfe, die Sie beherrschen, und schalten Sie dann erforderlichenfalls weitere fachkundige Stellen ein (z. B. Sanitätsstelle, Betriebsarzt, externe Ärzte oder Krankenhäuser).

Hinweis: Bewahren Sie den Notfallversorgungsnachweis mindestens fünf Jahre auf. Verwahren Sie diesen am besten bei Ihren Personalunterlagen, denn dieser Nachweis beinhaltet personenbezogene Aufzeichnungen.

Angaben zum Hergang des Unfalls bzw. des Gesundheitsschadens

Laufende Nummer:	Datum/Uhrzeit:
Name des Verletzten/Verunfallten/Erkrankten:	
Hergang des Unfalls/der Verletzung/Vermutete Ursache der Erkrankung:	
Unfallfolgen/Art der Verletzung/Erkrankung/Symptome/Befund:	
Name des/der Zeugen:	

Erste-Hilfe-Leistung

Datum/Uhrzeit:
Name des Ersthelfers/Erste-Hilfe-Leistenden:
Art und Weise der Maßnahmen:
Erste-Hilfe-Material (verwendet/entnommen):

© FORUM VERLAG HERKERT GMBH
12/25

Erste-Hilfe-Meldeblock

Notfallversorgungsnachweis gem. DGUV Vorschrift 1

Firma/Einrichtung und Stempel

Die Eintragungen sollen durch den Ersthelfer sorgfältig und vollständig erfolgen. Leisten Sie als Ersthelfer nur diejenige Erste Hilfe, die Sie beherrschen, und schalten Sie dann erforderlichenfalls weitere fachkundige Stellen ein (z. B. Sanitätsstelle, Betriebsarzt, externe Ärzte oder Krankenhäuser).

Hinweis: Bewahren Sie den Notfallversorgungsnachweis mindestens fünf Jahre auf. Verwahren Sie diesen am besten bei Ihren Personalunterlagen, denn dieser Nachweis beinhaltet personenbezogene Aufzeichnungen.

Angaben zum Hergang des Unfalls bzw. des Gesundheitsschadens

Laufende Nummer:	Datum/Uhrzeit:
Name des Verletzten/Verunfallten/Erkrankten:	
Hergang des Unfalls/der Verletzung/Vermutete Ursache der Erkrankung:	
Unfallfolgen/Art der Verletzung/Erkrankung/Symptome/Befund:	
Name des/der Zeugen:	

Erste-Hilfe-Leistung

Datum/Uhrzeit:
Name des Ersthelfers/Erste-Hilfe-Leistenden:
Art und Weise der Maßnahmen:
Erste-Hilfe-Material (verwendet/entnommen):

FORUM
© FORUM VERLAG HERKERT GMBH

Erste-Hilfe-Meldeblock

Notfallversorgungsnachweis gem. DGUV Vorschrift 1

Firma/Einrichtung und Stempel

Die Eintragungen sollen durch den Ersthelfer sorgfältig und vollständig erfolgen. Leisten Sie als Ersthelfer nur diejenige Erste Hilfe, die Sie beherrschen, und schalten Sie dann erforderlichenfalls weitere fachkundige Stellen ein (z. B. Sanitätsstelle, Betriebsarzt, externe Ärzte oder Krankenhäuser).

Hinweis: Bewahren Sie den Notfallversorgungsnachweis mindestens fünf Jahre auf. Verwahren Sie diesen am besten bei Ihren Personalunterlagen, denn dieser Nachweis beinhaltet personenbezogene Aufzeichnungen.

Angaben zum Hergang des Unfalls bzw. des Gesundheitsschadens

Laufende Nummer:	Datum/Uhrzeit:

Name des Verletzten/Verunfallten/Erkrankten:

Hergang des Unfalls/der Verletzung/Vermutete Ursache der Erkrankung:

Unfallfolgen/Art der Verletzung/Erkrankung/Symptome/Befund:

Name des/der Zeugen:

Erste-Hilfe-Leistung

Datum/Uhrzeit:

Name des Ersthelfers/Erste-Hilfe-Leistenden:

Art und Weise der Maßnahmen:

Erste-Hilfe-Material (verwendet/entnommen):

© FORUM VERLAG HERKERT GMBH
12/25

Erste-Hilfe-Meldeblock

Notfallversorgungsnachweis gem. DGUV Vorschrift 1

Firma/Einrichtung und Stempel

Die Eintragungen sollen durch den Ersthelfer sorgfältig und vollständig erfolgen. Leisten Sie als Ersthelfer nur diejenige Erste Hilfe, die Sie beherrschen, und schalten Sie dann erforderlichenfalls weitere fachkundige Stellen ein (z. B. Sanitätsstelle, Betriebsarzt, externe Ärzte oder Krankenhäuser).

Hinweis: Bewahren Sie den Notfallversorgungsnachweis mindestens fünf Jahre auf. Verwahren Sie diesen am besten bei Ihren Personalunterlagen, denn dieser Nachweis beinhaltet personenbezogene Aufzeichnungen.

Angaben zum Hergang des Unfalls bzw. des Gesundheitsschadens

Laufende Nummer:	Datum/Uhrzeit:

Name des Verletzten/Verunfallten/Erkrankten:

Hergang des Unfalls/der Verletzung/Vermutete Ursache der Erkrankung:

Unfallfolgen/Art der Verletzung/Erkrankung/Symptome/Befund:

Name des/der Zeugen:

Erste-Hilfe-Leistung

Datum/Uhrzeit:

Name des Ersthelfers/Erste-Hilfe-Leistenden:

Art und Weise der Maßnahmen:

Erste-Hilfe-Material (verwendet/entnommen):

© FORUM VERLAG HERKERT GMBH

Erste-Hilfe-Meldeblock

Notfallversorgungsnachweis gem. DGUV Vorschrift 1

Firma/Einrichtung und Stempel

Die Eintragungen sollen durch den Ersthelfer sorgfältig und vollständig erfolgen. Leisten Sie als Ersthelfer nur diejenige Erste Hilfe, die Sie beherrschen, und schalten Sie dann erforderlichenfalls weitere fachkundige Stellen ein (z. B. Sanitätsstelle, Betriebsarzt, externe Ärzte oder Krankenhäuser).

Hinweis: Bewahren Sie den Notfallversorgungsnachweis mindestens fünf Jahre auf. Verwahren Sie diesen am besten bei Ihren Personalunterlagen, denn dieser Nachweis beinhaltet personenbezogene Aufzeichnungen.

Angaben zum Hergang des Unfalls bzw. des Gesundheitsschadens

Laufende Nummer:

Datum/Uhrzeit:

Name des Verletzten/Verunfallten/Erkrankten:

Hergang des Unfalls/der Verletzung/Vermutete Ursache der Erkrankung:

Unfallfolgen/Art der Verletzung/Erkrankung/Symptome/Befund:

Name des/der Zeugen:

Erste-Hilfe-Leistung

Datum/Uhrzeit:

Name des Ersthelfers/Erste-Hilfe-Leistenden:

Art und Weise der Maßnahmen:

Erste-Hilfe-Material (verwendet/entnommen):

FORUM
© FORUM VERLAG HERKERT GMBH

Erste-Hilfe-Meldeblock

Notfallversorgungsnachweis gem. DGUV Vorschrift 1

Firma/Einrichtung und Stempel

Die Eintragungen sollen durch den Ersthelfer sorgfältig und vollständig erfolgen. Leisten Sie als Ersthelfer nur diejenige Erste Hilfe, die Sie beherrschen, und schalten Sie dann erforderlichenfalls weitere fachkundige Stellen ein (z. B. Sanitätsstelle, Betriebsarzt, externe Ärzte oder Krankenhäuser).

Hinweis: Bewahren Sie den Notfallversorgungsnachweis mindestens fünf Jahre auf. Verwahren Sie diesen am besten bei Ihren Personalunterlagen, denn dieser Nachweis beinhaltet personenbezogene Aufzeichnungen.

Angaben zum Hergang des Unfalls bzw. des Gesundheitsschadens

Laufende Nummer:	Datum/Uhrzeit:
Name des Verletzten/Verunfallten/Erkrankten:	
Hergang des Unfalls/der Verletzung/Vermutete Ursache der Erkrankung:	
Unfallfolgen/Art der Verletzung/Erkrankung/Symptome/Befund:	
Name des/der Zeugen:	

Erste-Hilfe-Leistung

Datum/Uhrzeit:
Name des Ersthelfers/Erste-Hilfe-Leistenden:
Art und Weise der Maßnahmen:
Erste-Hilfe-Material (verwendet/entnommen):

FORUM
© FORUM VERLAG HERKERT GMBH

Erste-Hilfe-Meldeblock

Notfallversorgungsnachweis gem. DGUV Vorschrift 1

Firma/Einrichtung und Stempel

Die Eintragungen sollen durch den Ersthelfer sorgfältig und vollständig erfolgen. Leisten Sie als Ersthelfer nur diejenige Erste Hilfe, die Sie beherrschen, und schalten Sie dann erforderlichenfalls weitere fachkundige Stellen ein (z. B. Sanitätsstelle, Betriebsarzt, externe Ärzte oder Krankenhäuser).

Hinweis: Bewahren Sie den Notfallversorgungsnachweis mindestens fünf Jahre auf. Verwahren Sie diesen am besten bei Ihren Personalunterlagen, denn dieser Nachweis beinhaltet personenbezogene Aufzeichnungen.

Angaben zum Hergang des Unfalls bzw. des Gesundheitsschadens

Laufende Nummer:	Datum/Uhrzeit:
Name des Verletzten/Verunfallten/Erkrankten:	
Hergang des Unfalls/der Verletzung/Vermutete Ursache der Erkrankung:	
Unfallfolgen/Art der Verletzung/Erkrankung/Symptome/Befund:	
Name des/der Zeugen:	

Erste-Hilfe-Leistung

Datum/Uhrzeit:
Name des Ersthelfers/Erste-Hilfe-Leistenden:
Art und Weise der Maßnahmen:
Erste-Hilfe-Material (verwendet/entnommen):

Erste-Hilfe-Meldeblock

Notfallversorgungsnachweis gem. DGUV Vorschrift 1

Firma/Einrichtung und Stempel

Die Eintragungen sollen durch den Ersthelfer sorgfältig und vollständig erfolgen. Leisten Sie als Ersthelfer nur diejenige Erste Hilfe, die Sie beherrschen, und schalten Sie dann erforderlichenfalls weitere fachkundige Stellen ein (z. B. Sanitätsstelle, Betriebsarzt, externe Ärzte oder Krankenhäuser).

Hinweis: Bewahren Sie den Notfallversorgungsnachweis mindestens fünf Jahre auf. Verwahren Sie diesen am besten bei Ihren Personalunterlagen, denn dieser Nachweis beinhaltet personenbezogene Aufzeichnungen.

Angaben zum Hergang des Unfalls bzw. des Gesundheitsschadens

Laufende Nummer:	Datum/Uhrzeit:

Name des Verletzten/Verunfallten/Erkrankten:

Hergang des Unfalls/der Verletzung/Vermutete Ursache der Erkrankung:

Unfallfolgen/Art der Verletzung/Erkrankung/Symptome/Befund:

Name des/der Zeugen:

Erste-Hilfe-Leistung

Datum/Uhrzeit:

Name des Ersthelfers/Erste-Hilfe-Leistenden:

Art und Weise der Maßnahmen:

Erste-Hilfe-Material (verwendet/entnommen):

© FORUM VERLAG HERKERT GMBH

Erste-Hilfe-Meldeblock

Notfallversorgungsnachweis gem. DGUV Vorschrift 1

Firma/Einrichtung und Stempel

Die Eintragungen sollen durch den Ersthelfer sorgfältig und vollständig erfolgen. Leisten Sie als Ersthelfer nur diejenige Erste Hilfe, die Sie beherrschen, und schalten Sie dann erforderlichenfalls weitere fachkundige Stellen ein (z. B. Sanitätsstelle, Betriebsarzt, externe Ärzte oder Krankenhäuser).

Hinweis: Bewahren Sie den Notfallversorgungsnachweis mindestens fünf Jahre auf. Verwahren Sie diesen am besten bei Ihren Personalunterlagen, denn dieser Nachweis beinhaltet personenbezogene Aufzeichnungen.

Angaben zum Hergang des Unfalls bzw. des Gesundheitsschadens

Laufende Nummer:	Datum/Uhrzeit:
Name des Verletzten/Verunfallten/Erkrankten:	
Hergang des Unfalls/der Verletzung/Vermutete Ursache der Erkrankung:	
Unfallfolgen/Art der Verletzung/Erkrankung/Symptome/Befund:	
Name des/der Zeugen:	

Erste-Hilfe-Leistung

Datum/Uhrzeit:
Name des Ersthelfers/Erste-Hilfe-Leistenden:
Art und Weise der Maßnahmen:
Erste-Hilfe-Material (verwendet/entnommen):

© FORUM VERLAG HERKERT GMBH

Erste-Hilfe-Meldeblock

Notfallversorgungsnachweis gem. DGUV Vorschrift 1

Firma/Einrichtung und Stempel

Die Eintragungen sollen durch den Ersthelfer sorgfältig und vollständig erfolgen. Leisten Sie als Ersthelfer nur diejenige Erste Hilfe, die Sie beherrschen, und schalten Sie dann erforderlichenfalls weitere fachkundige Stellen ein (z. B. Sanitätsstelle, Betriebsarzt, externe Ärzte oder Krankenhäuser).

Hinweis: Bewahren Sie den Notfallversorgungsnachweis mindestens fünf Jahre auf. Verwahren Sie diesen am besten bei Ihren Personalunterlagen, denn dieser Nachweis beinhaltet personenbezogene Aufzeichnungen.

Angaben zum Hergang des Unfalls bzw. des Gesundheitsschadens

Laufende Nummer:	Datum/Uhrzeit:

Name des Verletzten/Verunfallten/Erkrankten:

Hergang des Unfalls/der Verletzung/Vermutete Ursache der Erkrankung:

Unfallfolgen/Art der Verletzung/Erkrankung/Symptome/Befund:

Name des/der Zeugen:

Erste-Hilfe-Leistung

Datum/Uhrzeit:

Name des Ersthelfers/Erste-Hilfe-Leistenden:

Art und Weise der Maßnahmen:

Erste-Hilfe-Material (verwendet/entnommen):

© FORUM VERLAG HERKERT GMBH
12/25

Erste-Hilfe-Meldeblock

Notfallversorgungsnachweis gem. DGUV Vorschrift 1

Firma/Einrichtung und Stempel

Die Eintragungen sollen durch den Ersthelfer sorgfältig und vollständig erfolgen. Leisten Sie als Ersthelfer nur diejenige Erste Hilfe, die Sie beherrschen, und schalten Sie dann erforderlichenfalls weitere fachkundige Stellen ein (z. B. Sanitätsstelle, Betriebsarzt, externe Ärzte oder Krankenhäuser).

Hinweis: Bewahren Sie den Notfallversorgungsnachweis mindestens fünf Jahre auf. Verwahren Sie diesen am besten bei Ihren Personalunterlagen, denn dieser Nachweis beinhaltet personenbezogene Aufzeichnungen.

Angaben zum Hergang des Unfalls bzw. des Gesundheitsschadens

Laufende Nummer:	Datum/Uhrzeit:

Name des Verletzten/Verunfallten/Erkrankten:

Hergang des Unfalls/der Verletzung/Vermutete Ursache der Erkrankung:

Unfallfolgen/Art der Verletzung/Erkrankung/Symptome/Befund:

Name des/der Zeugen:

Erste-Hilfe-Leistung

Datum/Uhrzeit:

Name des Ersthelfers/Erste-Hilfe-Leistenden:

Art und Weise der Maßnahmen:

Erste-Hilfe-Material (verwendet/entnommen):

© FORUM VERLAG HERKERT GMBH

Erste-Hilfe-Meldeblock

Notfallversorgungsnachweis gem. DGUV Vorschrift 1

Firma/Einrichtung und Stempel

Die Eintragungen sollen durch den Ersthelfer sorgfältig und vollständig erfolgen. Leisten Sie als Ersthelfer nur diejenige Erste Hilfe, die Sie beherrschen, und schalten Sie dann erforderlichenfalls weitere fachkundige Stellen ein (z. B. Sanitätsstelle, Betriebsarzt, externe Ärzte oder Krankenhäuser).

Hinweis: Bewahren Sie den Notfallversorgungsnachweis mindestens fünf Jahre auf. Verwahren Sie diesen am besten bei Ihren Personalunterlagen, denn dieser Nachweis beinhaltet personenbezogene Aufzeichnungen.

Angaben zum Hergang des Unfalls bzw. des Gesundheitsschadens

Laufende Nummer:	Datum/Uhrzeit:
Name des Verletzten/Verunfallten/Erkrankten:	
Hergang des Unfalls/der Verletzung/Vermutete Ursache der Erkrankung:	
Unfallfolgen/Art der Verletzung/Erkrankung/Symptome/Befund:	
Name des/der Zeugen:	

Erste-Hilfe-Leistung

Datum/Uhrzeit:
Name des Ersthelfers/Erste-Hilfe-Leistenden:
Art und Weise der Maßnahmen:
Erste-Hilfe-Material (verwendet/entnommen):

FORUM
© FORUM VERLAG HERKERT GMBH

Erste-Hilfe-Meldeblock

Notfallversorgungsnachweis gem. DGUV Vorschrift 1

Firma/Einrichtung und Stempel

Die Eintragungen sollen durch den Ersthelfer sorgfältig und vollständig erfolgen. Leisten Sie als Ersthelfer nur diejenige Erste Hilfe, die Sie beherrschen, und schalten Sie dann erforderlichenfalls weitere fachkundige Stellen ein (z. B. Sanitätsstelle, Betriebsarzt, externe Ärzte oder Krankenhäuser).

Hinweis: Bewahren Sie den Notfallversorgungsnachweis mindestens fünf Jahre auf. Verwahren Sie diesen am besten bei Ihren Personalunterlagen, denn dieser Nachweis beinhaltet personenbezogene Aufzeichnungen.

Angaben zum Hergang des Unfalls bzw. des Gesundheitsschadens

Laufende Nummer:	Datum/Uhrzeit:

Name des Verletzten/Verunfallten/Erkrankten:

Hergang des Unfalls/der Verletzung/Vermutete Ursache der Erkrankung:

Unfallfolgen/Art der Verletzung/Erkrankung/Symptome/Befund:

Name des/der Zeugen:

Erste-Hilfe-Leistung

Datum/Uhrzeit:

Name des Ersthelfers/Erste-Hilfe-Leistenden:

Art und Weise der Maßnahmen:

Erste-Hilfe-Material (verwendet/entnommen):

Erste-Hilfe-Meldeblock

Notfallversorgungsnachweis gem. DGUV Vorschrift 1

Firma/Einrichtung und Stempel

Die Eintragungen sollen durch den Ersthelfer sorgfältig und vollständig erfolgen. Leisten Sie als Ersthelfer nur diejenige Erste Hilfe, die Sie beherrschen, und schalten Sie dann erforderlichenfalls weitere fachkundige Stellen ein (z. B. Sanitätsstelle, Betriebsarzt, externe Ärzte oder Krankenhäuser).

Hinweis: Bewahren Sie den Notfallversorgungsnachweis mindestens fünf Jahre auf. Verwahren Sie diesen am besten bei Ihren Personalunterlagen, denn dieser Nachweis beinhaltet personenbezogene Aufzeichnungen.

Angaben zum Hergang des Unfalls bzw. des Gesundheitsschadens

Laufende Nummer:	Datum/Uhrzeit:
Name des Verletzten/Verunfallten/Erkrankten:	
Hergang des Unfalls/der Verletzung/Vermutete Ursache der Erkrankung:	
Unfallfolgen/Art der Verletzung/Erkrankung/Symptome/Befund:	
Name des/der Zeugen:	

Erste-Hilfe-Leistung

Datum/Uhrzeit:
Name des Ersthelfers/Erste-Hilfe-Leistenden:
Art und Weise der Maßnahmen:
Erste-Hilfe-Material (verwendet/entnommen):

FORUM
© FORUM VERLAG HERKERT GMBH
12/25